L'APPEL des LOUPS

L'OMBRE DU GRIZZLY

24-32, rue des Amandiers, 75020 Paris – France

Correction : Catherine Rigal

Loi n° 49-956 du 16 juillet 1949 sur les publications destinées à la jeunesse,
modifiée par la loi n° 2011-525 du 17 mai 2011.
Dépôt légal : septembre 2018. Imprimé en Serbie.

Produit conçu et fabriqué sous système de management de la qualité certifié AFAQ ISO 9001.

L'OMBRE DU GRIZZLY

Écrit par Pascal Brissy
Illustré par Sébastien Pelon

AUZOU romans Pas à pas

1 LA DISPARITION

Mon nom est Traqueur. Je suis un loup du clan des Hurlevents. Ma meute est rassemblée au pied du vieux saule. L'heure est grave. Grisepatte, notre chef, prend la parole devant loups, louves et louveteaux :

— Demi-Queue a disparu !

— Mon jumeau ? Impossible ! s'étrangle Cendre, la louve à mes côtés.

Je me blottis contre son flanc afin de la soutenir et questionne notre chef :

— Comment est-ce arrivé ?

— Nous l'ignorons, me répond Grisepatte, Demi-Queue semble avoir été attaqué pendant la chasse…

Notre chef s'arrête un moment pour fixer Cendre. Puis il baisse la tête et murmure :

— Je crains le pire !

Cette nuit, la forêt qui nous entoure me paraît étrangère. La lune est ronde dans le ciel. Le vent balaye mon pelage argent mais le chagrin reste présent. Ma vue se trouble. Je nous revois louveteaux, mon ami Demi-Queue et moi, jouant avec une pomme de pin.

— Ha ! Ha ! Ha ! Elle est à moi !

— Grr ! Attends, tu vas voir !

À présent, je me couche sur le sol froid, museau entre les pattes. Je ne sais pas quoi penser de cette disparition. Près de moi, Cendre redresse lentement le cou afin d'entamer le chant des loups pour son frère. Ce n'est pas un chant, mais plutôt un appel, un appel désespéré : « Où es-tu, Demi-Queue ? »

Soudain, Cendre s'écarte d'un bond. Elle tourne le dos à la meute et s'élance au travers des buissons avant de disparaître. Je plonge aussitôt le regard vers Grisepatte. Notre chef saisit ma pensée et acquiesce d'un signe compréhensif.

Alors, je me précipite à mon tour :

— Cendre ! Attends !

La voix de Grisepatte résonne faiblement derrière moi. Je crois distinguer une mise en garde mais je ne ralentis pas l'allure. Je dois rattraper Cendre avant qu'elle n'ait des ennuis.

Il y a peu, j'ai cru apercevoir Fantôme, le loup blanc, rôder dans les parages. Ce loup est un animal solitaire et il déteste les membres de notre clan. Fantôme nous reproche de lui voler ses territoires de chasse et n'hésite pas à attaquer les plus faibles d'entre nous à la première occasion.

Je l'ai déjà affronté… Ce matin-là, je traquais un lièvre pour mon déjeuner et il a bondi sur moi par surprise : le lâche ! Je n'ai rien pu faire sous son assaut. Fantôme est bien plus grand que les loups de mon clan. Parfois, je sens encore la douleur de chacune de ses morsures. Si mon ami Demi-Queue n'était pas venu à mon secours en m'entendant hurler, j'aurais sans doute perdu la vie ! Ce maudit loup est guidé par la jalousie mais c'est un adversaire redoutable.

Je flaire la piste de Cendre. Elle s'est engagée plus au nord. Je ne connais pas bien ces terrains de chasse. J'accélère et ravive la vieille douleur de ma patte arrière droite, l'un des vilains cadeaux de Fantôme après notre combat. Je perds la trace de la louve sur quelques mètres, franchis un cours d'eau maigrichon, et retrouve la marque de ses pattes dans la terre fraîche. Je m'apprête à crier son nom à nouveau avant de me raviser. Nous sommes proches des limites de notre territoire. Cette frontière est invisible à l'œil nu, mais elle

n'en est pas moins réelle. J'y jette un regard rapide et poursuis ma route à la dérobade.

L'automne commence à s'imposer dans notre forêt. Les arbres perdent leur parure peu à peu, au grand regret des écureuils roux qui manquent de cachettes. Je surprends l'un d'eux sur mon trajet. Il aurait mieux fait de rester dans les hauteurs et de ne pas s'aventurer au sol en pleine nuit… Heureusement pour lui, j'ai autre chose en tête. Le rongeur pousse un petit cri affolé puis il détale quatre à quatre, avant de me narguer sur une branche comme s'il avait gagné la plus grande des batailles.

Un peu plus loin, c'est à mon tour de changer de direction. Le grognement d'un sanglier occupé à fouiller du groin entre les racines d'un vieux chêne m'y invite brusquement. Je me souviens toujours des premières leçons de chasse que ma mère m'a données. Elle avait raison :

— N'oublie jamais, Traqueur, notre force c'est la meute !

Ce bref détour ne m'empêche pas de retrouver la sœur jumelle de Demi-Queue. Cendre s'est arrêtée sans prévenir et la scène qui s'offre à nous me donne un frisson désagréable. Les traces d'un combat nous entourent et le sol est sillonné par différentes griffures. Cendre m'interpelle en me montrant le tronc d'un arbre lacéré :

— J'ai déjà vu ce genre de marques, dit-elle.

Je termine à sa place :

— Oui, ce sont celles d'un ours !

Je scrute les alentours, aussitôt sur mes gardes. Il n'y a aucun doute, l'ombre d'un grizzly plane sur cette partie des bois !

2

UN INTRUS SUR NOS TERRES

Les ours et les loups ne sont pas les meilleurs amis de la forêt. Les grizzlys ne tolèrent pas nos passages près de leurs tanières et il n'est pas question de laisser ces estomacs sur pattes approcher des nôtres. Alors, si par malheur l'un d'entre eux s'est engagé sur notre territoire, il nous faudra vite donner l'alerte ! Les histoires racontées par les plus vieux loups du clan ne sont pas des légendes. Un grizzly peut facilement affronter quatre d'entre nous juste pour récupérer une carcasse de viande. Ce sont de véritables monstres ! Mais nous devons être certains de sa présence avant que Grisepatte ne donne l'ordre d'emmener nos louveteaux à l'abri…

Cendre passe et repasse devant moi. Elle rejette ma proposition de faire demi-tour. Comme moi, elle pense que Demi-Queue a croisé la route de cet ours et veut s'en assurer.

— La piste est encore fraîche ! me lance-t-elle, nerveuse à l'extrême. Je sais que tu peux la suivre mieux que n'importe qui, Traqueur ! Allons-y ! Tout de suite ! Tu m'entends ?

Je ne lui réponds pas et me concentre, museau au sol. Je chasse en premier lieu les odeurs d'humus. J'écarte également de mon odorat l'odeur infecte qui se dégage de la tanière d'un blaireau à une centaine de mètres à l'ouest. À la place, je cherche le fil à suivre, l'indice, l'odeur propre à cet ours.

Mes yeux brillent, animés par la traque. L'ours ne le sait pas encore, mais ça y est ! Je le tiens ! Si mon flair ne me trompe pas, je devrais être en mesure de trouver ce grizzly avant le petit matin. Je dis bien « je », et me tourne vers Cendre, prêt à mentir :

— La piste n'est pas si fraîche que tu le dis, elle est même plutôt diffuse !

Je montre la direction de la tanière du blaireau avant d'ajouter :

— Peut-être qu'il y aura d'autres indices là-bas !

Nous arrivons sur place en quelques secondes. J'aperçois l'entrée, un trou assez large creusé en dessous d'une racine noueuse. Cendre et moi restons sur le qui-vive. Ces bestioles sont réputées pour leur fichu carac-

tère et ce n'est pas le moment de prendre un coup de griffe mal placé. Nous comprenons vite que ce sera inutile. J'identifie plus clairement l'odeur infecte sentie il y a un instant. Ce pauvre blaireau a visiblement fait les frais du combat qui s'est déroulé près d'ici et il en est mort…

— Le corps est déjà froid, m'indique Cendre en le touchant rapidement du museau.

Nous retournons sur nos pas et commençons à faire des cercles de plus en plus larges à la recherche d'éventuels détails qui auraient pu nous échapper. J'essaie d'imaginer la scène et regarde sur ma gauche : Demi-Queue est certainement arrivé de ce côté. J'ai senti son odeur. Il a traversé ces fougères et aura été surpris par le grizzly à l'opposé…

— Le blaireau peut aussi avoir été tué avant ! m'interrompt Cendre.

— J'y pensais justement, dis-je, attentif à observer le sens des branchages brisés par le passage de l'ours.

Ces branches m'intriguent. Un ours fait davantage de dégâts sur son chemin, surtout s'il s'apprête à livrer un combat contre un loup. Je grimace malgré moi en détectant des poils perdus dans un roncier. Je m'en écarte pour éviter d'attirer l'attention de Cendre. La louve est suffisamment en colère, mais il n'y a aucun doute, ces poils arrachés sont ceux de Demi-Queue. Je dois procéder par étapes si je veux reprendre ma traque au plus vite. Je n'aurai pas l'esprit tranquille tant que je saurai que Cendre risque de se trouver elle aussi face à un grizzly. Je flaire le sol où mon souffle soulève quelques feuilles mortes, puis je redresse la tête, prêt à reprendre mes mensonges :

— On va devoir se séparer pour être efficaces ! File jusqu'à la rivière ! L'ours s'y sera peut-être arrêté pour boire, moi je vais vérif…

Cendre est si inquiète pour son frère qu'elle ne me laisse pas le temps de terminer ma phrase. La louve repart sur-le-champ en grognant :

— S'il a attaqué Demi-Queue, ce maudit ours est à moi !

Je pousse un soupir soulagé. Cendre ne risque rien en partant dans la direction que je viens d'indiquer. J'examine une dernière fois les traces du combat avant de partir pile en sens opposé. Mon odorat m'indique qu'il s'agit d'une femelle grizzly. D'autres traces de griffes sur les arbres guident mon chemin et je constate que le pauvre Demi-Queue n'a pas seulement perdu quelques poils dans son duel. J'espère qu'il n'est pas trop tard !

3 ESCAPADE EN TERRITOIRE INTERDIT

Ma progression ne tarde pas à se faire de plus en plus hasardeuse et je suis contraint de ralentir mon rythme de course. Je n'ai pas le droit d'être ici. J'ai quitté les terrains de chasse du clan des Hurlevents depuis plusieurs lieues. Ce territoire interdit est celui des loups Sangrenuit. Si Crocs-Rouges, leur chef, ou l'un des loups de sa meute découvrent ma présence, je ne donne pas cher de mon sort ! Et je crains de devoir tester cette dangereuse expérience très bientôt…

Ils sont trois, je crois. Trois loups en chasse, dont l'un a détecté ma présence :

— Il est seul ! lance-t-il aux autres. Et il ne doit pas être loin !

Je reste immobile. J'ai fait demi-tour brutalement pour essayer de brouiller les pistes dès que j'ai senti qu'ils étaient sur mes traces. Je suis tapi dans un massif dont les feuilles luttent encore contre l'automne. J'ai dû faire très attention à ne pas faire craquer les feuilles mortes sous mes pattes. J'espère que mon plan sera suffisant pour berner mes poursuivants… Erreur !

Un loup Sangrenuit semble plus vigilant que les autres. Je le pressens juste à temps et m'élance à son avertissement :

— Là ! Attrapez-le !

Non seulement ces loups ne doivent pas m'attraper, mais je dois également éviter qu'ils ne découvrent que j'appartiens au clan des Hurlevents. Les rapports sont nerveux entre les meutes et mon intrusion sur les terres de chasse des Sangrenuit pourrait déclencher un conflit.

Alors, je cours ventre à terre aussi vite qu'il m'est possible, peut-être même plus vite encore tant mon souffle est saccadé. Mon cœur cogne violemment dans ma poitrine tandis que mes yeux balayent sans cesse le chemin de ma fuite. L'espoir d'une solution s'amenuise. Il faudrait un miracle.

La pleine lune, jusqu'ici mon alliée, n'arrange pas mes affaires. On me repère de loin et je sens mes poursuivants prêts à gagner du terrain.

— À droite ! ordonne à nouveau le loup qui mène la chasse. Il est coincé !

Je comprends bientôt ce qu'il veut dire en bondissant par-dessus un talus.

La rivière apparaît, prête à me barrer la route. Le bruit de l'eau masque à peine un nouveau hurlement derrière moi. Ils appellent des renforts. Je n'aurai pas le temps de traverser, ni la chance de trouver un passage à guet. Tant pis, je n'ai plus rien à perdre !

L'eau glacée commence par me fouetter les pattes avant de me saisir tout entier. Je perds rapidement tout contact avec le sol et ses pierres invisibles sur lesquelles je tente parfois de m'appuyer. Hélas, j'ai beau lutter contre le courant, il devient de plus en plus puissant. J'abandonne tout contrôle. Les rapides m'entraînent aussitôt où bon leur semble. J'avale de l'eau plusieurs fois malgré moi. Les hurlements des Sangrenuit s'amenuisent. Ils ne s'attendaient pas à ma tentative désespérée et sont restés sur la rive.

J'ai gagné. Je suis hors d'atteinte. Les trois loups ne peuvent plus me rattraper. Mais à quel prix ? La rivière se montre sans pitié. Je percute douloureusement ses rochers à maintes reprises sans pouvoir me plaindre. Je suis trop occupé à garder mon museau hors de l'eau.

Quand, enfin, on me donne une chance de m'en sortir ! J'aperçois un arbre mort,

couché depuis la rive. Ses branches forment un barrage fragile dans l'eau vive. Je parviens à en agripper une d'un coup de gueule. Puis je reprends mes appuis avant de sortir de l'eau petit à petit. Je m'écarte du rivage et m'écroule épuisé. Pourtant, je n'ai pas le luxe de me reposer et encore moins celui de m'évanouir. Je serre les crocs, mon pelage est trempé. J'ai froid.

Je pense à Demi-Queue, à Cendre, au clan des Hurlevents. J'espère que tout le monde va bien. Cet ultime espoir m'aide à garder courage.

Quelques minutes plus tard, je passe entre les buissons sans m'y frotter. Leur résine colle aux poils comme la bave à l'escargot. Ce nouveau terrain est fortement accidenté. Les rochers y sont beaucoup plus nombreux. L'endroit idéal pour une tanière d'ours ! Je jette un œil derrière moi pour étudier les possibilités en cas d'affrontement. J'essaie de me réorienter. Où suis-je arrivé ?

Soudain, je m'immobilise, aux aguets. J'ai intercepté un son presque inaudible sur ma droite. Est-ce le vent dans les branches ? Un autre rongeur surpris en flagrant délit de gourmandise ? Une brume matinale s'installe peu à peu et m'empêche d'en distinguer l'origine. Le jour ne va pas tarder à reprendre ses droits. Je m'interroge :

— Qu'est-ce que c'est ? Ou, plus exactement, qui est-ce ?

Je serai bientôt fixé… Ami ou ennemi ?

4 DANGEREUSES RETROUVAILLES

Le bruit est sorti d'un trou, une cavité naturelle creusée dans le sol. Je m'approche en silence pour évaluer sa profondeur. Je dresse toujours l'oreille et j'entends un souffle rauque en sortir. Ce trou est bien occupé ! Une voix gémit lorsque je passe le museau :

— Traqueur ? Traqueur ! C'est toi ?

Je roule des yeux stupéfaits en découvrant l'animal pris au piège. C'est Demi-Queue ! J'étais si concentré sur les traces du grizzly que je n'ai pas détecté sa présence dans les parages. J'entame un tour de l'obstacle qui nous sépare et m'alarme :

— Mais qu'est-ce qui t'est arrivé ? Tu t'es fait surprendre en pleine chasse ?

Mes craintes étaient fondées, et je constate que mon ami est blessé au flanc. Il saigne. Je poursuis sans lui laisser l'occasion de s'expliquer :

— À cette heure, je parie que tout le clan est à ta recherche… et je ne te parle pas de Cendre, ta sœur est morte d'inquiétude !

Demi-Queue halète :

— Hier, un loup du clan m'a mis au défi de chasser plus de lapins pour nos louveteaux que lui ! Tu me connais, je suis parti droit vers le nord avec l'intention de lui montrer que j'étais le meilleur…

J'acquiesce d'un signe de tête tout en cherchant du regard une solution pour aider mon ami à sortir de là.

— J'ai vite constaté qu'il y avait déjà quelqu'un dans le coin, poursuit Demi-Queue. Sur le moment, je ne me suis pas aperçu que j'avais quitté nos territoires et…

— … tu es tombé sur un grizzly ! je termine.

— Heu, non…, me répond Demi-Queue surpris. Pas un grizzly, enfin pas vraiment… c'était plutôt un ourson ! Et un teigneux, tu peux me croire !

Demi-Queue me montre sa blessure.

— Le pauvre petit était tellement apeuré qu'il m'a labouré le flanc d'un coup de griffe !

Je répète, interloqué :

— Un ourson ? Mais alors, comment t'es-tu retrouvé coincé dans ce trou à rat ?

— Ah, ça ! peste aussitôt Demi-Queue.On m'y a poussé par surprise ! Moi, j'ai juste voulu rabattre l'ourson pour l'aider à rentrer chez lui et nous éviter des problèmes avec les ours…

Je reste très intrigué par les déclarations de Demi-Queue. Quel intérêt à le pousser dans ce trou ? Je m'écarte, toujours en quête d'une solution :

— Attends, je reviens !

— Attendre ? s'indigne-t-il. On voit bien que tu n'es pas coincé en bas ! Crois-moi, il n'y a rien d'autre à faire !

Je souris et me dis que si mon ami ronchonne, c'est qu'il n'est pas aussi mal en point qu'il en a l'air. Ah ! voilà qui devrait nous aider !

Je dégage le rondin d'un autre arbre mort en le poussant du museau. Il est recouvert d'une épaisse mousse et j'espère que l'humidité qui le ronge ne le fera pas céder sous mon poids. Après de longs efforts, je parviens enfin à le faire basculer dans le vide :

— Colle-toi contre la paroi ! je préviens.

Blam ! Le rondin touche le fond du trou et je m'engage sans tarder sur ce passage de fortune avec précaution.

J'invite Demi-Queue à sortir de l'ornière, pas après pas.

— Allez, tu y es presque ! On va pouvoir rentrer chez nous !

Je me ravise. Un bruit étranger vient de s'inviter à proximité. J'en saisis tout de suite le danger. Un frisson glacial me transperce.

À quelques mètres dans le sous-bois, un puissant animal à la fourrure brune se dresse lentement sur ses pattes arrière…

Le grizzly rugit avec fureur. Ses intentions nous semblent évidentes, et il nous est impossible de fuir avec Demi-Queue dans cet état. L'affrontement est inévitable. À mon tour, je pousse un hurlement de mise en garde et tends la gorge vers le ciel. Enfin, j'ordonne tous crocs dehors :

— Reste là, Demi-Queue !

J'avance sans jamais quitter mon adversaire des yeux. Le danger n'a jamais été si grand. L'ours retombe lourdement. Il trépigne, secoue son énorme tête et reprend ses grognements. Mon regard reste rivé sur ses yeux noirs. Nous nous jaugeons sans plus bouger. Je cherche une faille, l'angle par

lequel j'ai le plus de chance de le mordre. J'oublie d'avoir peur. Je ne suis pas un lapin qu'on effraie au premier grondement. Moi, Traqueur, je continue de montrer les crocs. Mes babines sont retroussées à l'extrême et je suis prêt à défendre nos vies.

5 FACE AU GRIZZLY !

— J'attaque par le côté droit, toi par le gauche ! s'impose Demi-Queue en boitant à mes côtés.

Je reconnais bien là le courage de mon ami, mais ce serait une sottise de le laisser se battre. Il n'a aucune chance face au grizzly.

— On t'a dit de ne pas bouger ! l'interrompt tout à coup une voix irritée. Pff ! Je me demande encore comment j'ai hérité d'un frère pareil !

Cendre surgit. La louve fait mine d'être en colère mais je perçois son soulagement de nous avoir retrouvés. Elle a entendu mon appel et ajoute :

— Va voir du côté de la rivière si j'y suis… Tu fais moins le malin maintenant, pas vrai, Traqueur ?

J'ai presque envie de sourire, mais je n'oublie pas que je suis face à un grizzly déterminé. L'arrivée d'un troisième loup ne l'intimide pas. Pour l'ours, Cendre n'est qu'un détail de plus dans la bataille que nous nous apprêtons à livrer.

Cendre et moi approchons de notre adversaire. La taille de cet ours est colossale. Les images de notre expédition s'invitent dans ma tête avant l'assaut. J'ignore toujours qui a poussé Demi-Queue dans le trou derrière nous et je crois que nous ne le saurons jamais. Soudain, je tressaute. Je viens de repérer d'autres odeurs… L'ours n'est pas là pour se battre ! J'alerte Cendre et lui ordonne :

— Recule !

La louve me dévisage, hésitante. Je lui confirme mon ordre :

— RECULE ! N'engage pas le combat, elle n'est pas là pour ça…

Nous retournons épauler Demi-Queue pour l'entraîner à l'écart.

Comme je m'y attendais, après un bref instant, la femelle grizzly grogne une dernière fois à notre encontre. Puis elle se détourne pour reprendre ses occupations.

— Elle protège ses petits ! comprend Cendre à son tour.

Mon soupir soulagé lui confirme qu'elle a vu juste. Cette fois, nous n'aurons pas à lutter. La route du retour sera plus longue, mais nous éviterons les terrains de chasse des Sangrenuit. Cendre a placé quelques repères pour mieux nous rediriger vers notre territoire. J'en profite pour raconter ma fuite par la rivière à mes amis.

— Et c'est moi qui devais faire attention ? proteste Cendre, contrariée. Vous faites une belle paire d'empotés, tous les deux !

— Ça ne m'éclaire pas sur le traître qui m'a poussé dans ce fichu trou ! réplique Demi-Queue.

— Si tu n'as pas eu le temps de voir ton agresseur, dis-je énigmatique, moi, j'ai une petite idée sur la question !

Cendre m'observe – interrogative – avant de reprendre brusquement une position défensive. Son frère n'a pas eu le temps de lui raconter toutes ses mésaventures mais, comme moi, elle vient d'apercevoir une silhouette blanchâtre se faufiler dans les buissons. Ce danger rôde depuis notre arrivée, mais nous étions trop occupés par l'arrivée de la femelle grizzly pour nous en rendre compte…

Notre véritable ennemi attend toujours, caché dans l'ombre. Il est facilement reconnaissable à la couleur de son pelage.

— Tiens, tiens, qui avons-nous là ? lance le loup blanc. Il semble que mon plan ne se déroule pas comme prévu.

— Dommage ! poursuit-il d'un ton agacé. J'aurais dû me douter qu'on ne pouvait pas se fier aux ours pour faire le ménage, même en leur forçant la patte…

Je grogne :

— Fantôme ! Tu as entraîné l'ourse sur nos terres en lui volant l'un de ses petits…

Le loup blanc ricane :

— Ha ! Ha ! Sacré Traqueur ! Tu comprends vite ! En effet, et quand ton ami a flairé ma piste par hasard, j'en ai profité pour l'attaquer… mais tu connais déjà la suite !

Cendre se place lentement à la même hauteur que moi. Derrière nous, Demi-Queue entame un hurlement appuyé. J'en comprends la raison et songe :

« Bonne idée ! »

Car si personne n'avait entendu l'appel à l'aide de Demi-Queue jusqu'ici, peut-être qu'à nous trois réunis… Cendre et moi l'imitons tandis que Fantôme reprend d'une voix de plus en plus menaçante :

— Tu aurais plutôt dû t'appeler Fouineur ! Mais, quoi qu'il se passe, je vous promets que vous ne vivrez pas assez longtemps pour rejoindre les Hurlevents !

6 L'AFFRONTEMENT !

Fantôme jaillit de sa cachette pour fondre sur Cendre avec une férocité hors du commun. La lutte fait rage sur-le-champ. Les corps s'emmêlent, se cognent, se choquent. Je bondis pour me poster en unique adversaire du loup blanc. Les crocs de Fantôme passent au ras de mon encolure pour claquer dans le vide. Je roule sur moi-même pour repousser son assaut.

Demi-Queue essaye d'aider sa sœur en l'entraînant en arrière. Mais elle résiste :

— Je suis une Hurlevents, comme toi ! s'exclame-t-elle.

Elle a raison, et je l'encourage :

— La meute est notre force !

Je profite de la diversion pour mordre un tendon du loup blanc. Un hurlement de douleur déchire la forêt. Contre toute attente, ce nouveau cri reçoit de nombreuses réponses. L'idée de Demi-Queue était la bonne… Des loups viennent vers nous en nombre !

Je sens aussitôt la crainte envahir le loup blanc. Ses attaques sont moins franches. Les

Hurlevents ont retrouvé notre trace et je lâche d'une voix pleine de mépris :

— Trop tard, ils arrivent !

Fantôme ne peut pas lutter contre tout le clan Hurlevents. Il recule et tente une attaque contre Cendre au passage. Mais Demi-Queue le repousse d'une nouvelle morsure. Le loup blanc s'essouffle.

— Je vous retrouverai, nous lance-t-il avant de prendre la fuite sans crier gare. Craignez ma vengeance !

Je m'apprête à le poursuivre mais Cendre m'interpelle :

— Laisse-le filer ! me dit-elle en rassemblant ses forces. Mieux vaut avant tout retrouver les nôtres et nous occuper de Demi-Queue !

— Je vais très bien ! proteste une fois encore ce dernier.

Notre chef, Grisepatte, est le premier à sortir des sous-bois pour nous aider. Il s'inquiète tout de suite au sujet du grizzly :

— Il ne faut pas traîner, nous ne sommes pas bienvenus près de sa tanière !

Sur le chemin du retour, je raconte nos mésaventures aux miens ainsi que cette nouvelle tentative de Fantôme pour nous faire du mal :

— Il a tiraillé un ourson en le repoussant sans relâche vers notre territoire. Puis le loup blanc a pris la vie d'un blaireau pour faire croire à une attaque, mais il s'est arraché quelques poils blancs au passage. Son but était de rabattre le grizzly jusque chez nous…

Grisepatte saisit aussitôt l'importance de la menace :

— La femelle ours aurait été folle de rage et nous aurait attaqués !

Cendre, qui m'aide toujours à épauler notre blessé, ajoute :

— Une chance que Demi-Queue ait débarqué au même moment pour contrarier ses plans !

— Une chance, si on veut ! bougonne Demi-Queue. Fantôme a failli m'avoir en me poussant au fond de ce trou infect où Traqueur m'a retrouvé !

— Oui, Fantôme cherchera certainement d'autres occasions pour s'en prendre aux nôtres, termine Grisepatte, mais, pour l'instant, rentrons chez nous !

J'en profite pour lui révéler mon incartade chez les loups Sangrenuit. Cet autre sujet préoccupe notre chef :

— J'irai parler à Croc-rouge, me confie-t-il, et si tu es d'accord nous irons lui présenter tes excuses pour cette violation de territoire. Elle devra rester exceptionnelle, je compte sur toi...

— Bien entendu ! dis-je avant de m'arrêter.

Cela fait un moment que je me sens observé. Je scrute l'horizon et esquisse un léger sourire. J'ai repéré les trois oursons. Ils jouent et se chamaillent sans se soucier du passage rapide de notre meute. Les yeux luisants de la mère ourse me fixent dans la pénombre d'un amas rocheux.

Un sentiment de respect s'empare de moi, et j'ai l'impression qu'il est réciproque.

Cendre frotte sa tête contre la mienne sans s'annoncer. Elle me remercie pour mon aide :

— Tu restes le meilleur pour trouver une piste ! Sans toi…

Je l'interromps pour plaisanter et cacher mon embarras. Mon cœur bat toujours plus vite quand Cendre est près de moi, et je me sens maladroit.

— Et encore, tu ne m'as pas vu nager dans la rivière ! dis-je avant de répéter les mots de notre chef et d'entamer le signal du rassemblement :

— Tu as raison, Grisepatte ! Rentrons chez nous !

Retrouve les aventures de Traqueur et de son clan !

Retrouve Aëlig et Kalyane dans

Le maître des Licornes

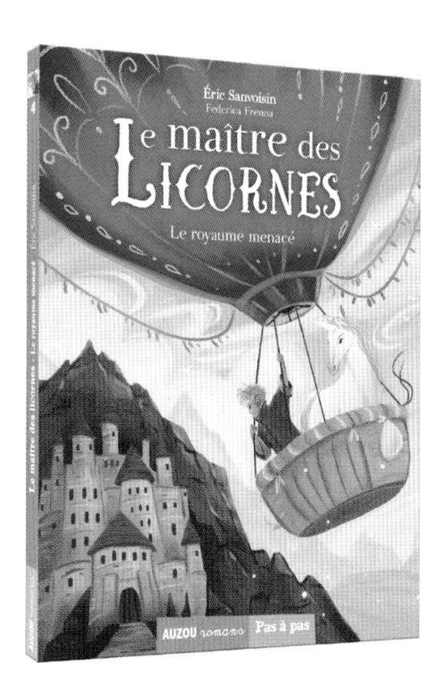
Éric Sanvoisin
Federica Frenna
Le maître des
LICORNES
Le royaume menacé
AUZOU romans
Pas à pas

Éric Sanvoisin
Federica Frenna
Le maître des
LICORNES
Les seigneurs de pierre
AUZOU romans
Pas à pas

Éric Sanvoisin
Le maître des
LICORNES
Ville-Méduse
AUZOU romans
Pas à pas

Éric Sanvoisin
Le maître des
LICORNES
Le complot des hippocampes
AUZOU romans
Pas à pas

DÉCOUVRE LES AVENTURES DE DIMITRI ET NOÉMIE

Table des matières

Un petit mot de l'auteur

J'aurais beaucoup aimé être un loup... mais, non, je suis auteur jeunesse ! Alors, le jour où Traqueur s'est invité dans ma tête, j'ai répondu à son appel et à celui de ses amis !
Depuis, je voyage aux côtés de loups du clan des Hurlevents... Mais êtes-vous prêts, vous aussi, à braver les dangers de la forêt pour rejoindre la meute ?

Pascal Brissy